パイン さんの おるすばん

MRS.PINE'S TAKES A TRIP

パインさんのおるすばん

レオナード・ケスラー／さく

小宮 由／やく

作者のことば
読者のみなさんへ

　この本は、リトル・タウンのパインどおりにある小さな白い家にすんでいた、パインさんのおはなしです。

パインどおりには、おなじ白い家が、五十けんもならんでいて、パインさんは、どれが自分の家だかわからないと、こまっていました。

　そこで、自分の家をむらさきいろにぬりかえました。

パインさんは、ひとりぐらしで、犬といっしょにくらしていましたが、いまは、ちがいます。

　このあとの、パインさんからのほうこくを読んでください。

あなたの友だち　レオナード・ケスラーより

LEONARD KESSLER

けっこんのごほうこく

このたび、わたくし、パインは、アンナさんとけっこんしました。けっこんしきは、リトル・タウンにあるおくさんのおかあさんの家であげました。

わたしは、青いスーツに、白いシャツをきて、おきにいりのむらさきのネクタイをしめ、けっこんしきに出ました。

おくさんは、ラベンダーいろのロングドレスをきて、おきにいりのむらさきのくつをはいていました。

わたしたちは、リトル・タウンにあるレンガづくりの家に、ひっこしました。そして、その家を、わたしたちのおきにいりのむらさきいろにぬりかえました。

パインより

ある日、
パインさんの
おくさんの
アンナさんが、
パインさんに
いいました。
「ニューヨークの
いもうとから、
手がみが　きたの。
あいにきて
ちょうだいだって。」

「おや、そうかい。」
と、パインさんは
いいました。
「だったら、
いってきたら
どうだい？　たびは、
いいものだよ。」
「わたしが　るすの
あいだ、あなた
ひとりで　家事（かじ）が
できるかしら？」

「なに
いってるんだい。
できるに
きまってる
じゃないか。」
と、パインさんは
こたえました。
「でも、まえに
わたしが
出かけたとき、
かえってきて
みたら、

いえの中がめちゃくちゃになってましたよ。」と、アンナさんはいいました。
「しんぱいごむよう。こんかいはだいじょうぶ。家事なんてかんたんさ。」

「そうですか？
じゃあ　ねんのため、
るすの　あいだに
やることを
リストに
しておきますね。」
アンナさんは
そう　いうと、
テーブルに　つき、
なにやら　かみに
かいて、パインさんに
わたしました。

それは、こんな
メモでした。

やることリスト
1.あさ　おきる
2.ベッドを　ととのえる
3.ごはんを　つくる
4.いぬに　えさを　やる
5.ねこに　えさを　やる
6.ことりに　えさを　やる
7.おふろを　あらう
8.とどいた　ゆうびんぶつを　もってくる
9.とどいた　ぎゅうにゅうを　もってくる
10.にわの　ざっそうを　かる
11.ゆかを　はく
12.かぐの　ほこりを　はらう
13.ごみを　だす
14.なべや　フライパンを　あらう
15.しょっきを　あらう
16.いっぱい　やすむ
アンナより

「なるほど、
どれも
かんたんだ。」
と、パインさんは
いいました。
「だいじょうぶ。
これくらいなら
できる。」

アンナさんは、
にもつを　まとめ、
タクシーを　よぶと
「いってきます。」
と　いって、
出かけていきました。

「じゃあ、まず　やることは、
このメモを　かべに　はって、
いつでも　見られるように
しておくことだな。」
パインさんは　そう　いって、
まどの　よこの　かべに、
メモを　はりつけました。
「うん、ここなら　よく　見える。
さ、きょうは　もう　おそいから
ねよう。あしたは　やることが
いっぱいだ。」

その　よる、
パインさんが
ねむりに　つくと、
そとは　あらしに
なりました。
　雨が　はげしく
ふり、　かぜも
つよく
ふいています。
　ビュ――！
ビュ―――ッ!!

木が　大きく
ゆれています。
カーテンも
ゆれています。
すると、
かべに
はっていた
メモが　はがれ、
あいていた
まどから、そとへ
とんでいって
しまいました！

つぎの日の　あさ、
目を　さました
パインさんは、
さっそく　メモを
見にいきました。
ところが、メモが
見あたりません。

こっちの　かべに　はったかな、
と　おもい、べつの　まどのところへ
いってみましたが、
そこにも　ありません。
はたまた　こっちの
かべだったかな、
と　おもい、もう　ひとつの
まどのところへ　いってみましたが、
やっぱり　メモは　ありませんでした。

パインさんは、
そとに　出て、
あたりを
見まわしました。
でも、メモは
どこにも
ありません。

「なんてこった。
メモが　なくなってしまった！」
と、パインさんは　さけびました。
「やれやれ。あのメモには、
なんて　かいてあったかな？」
パインさんは、がんばって
おもいだそうとしました。

「たしか、さいしょは
〈あさ　おきる〉って
かいてあったはずだ。
うん、それは　やった。」
パインさんは、にっこりしました。
「それから
〈いぬに　えさを　やる〉
〈ねこに　えさを　やる〉
〈ことりに　えさを　やる〉
というのも　あったな。
あ、そうそう〈いっぱい　休(やす)む〉
というのも、あったっけ。」

そこで
パインさんは、
いぬと　ねこと
ことりに
えさを　やると、
いっぱい
休(やす)むことにしました。
「ま、メモは　あした
さがせば　いいか。」
と、パインさんは
いいました。

それから
三日たち、
へやの中は、
こんなふうに
なりました。

だいどころは
こんな
かんじで、

にわの
ざっそうは
こんな
かんじ。

「よし、
あしたこそ、
メモを
さがすぞ。」
と、パインさんは
いいました。

それから
一しゅうかんたち、
へやの中は、
こんなふうに
なりました。

だいどころは
こんな
かんじで、

にわの
ざっそうは
こんな
かんじ。
ずいぶん
のびて
きましたね！

「よし、
あしたこそ、
メモを
さがすぞ。」
と、パインさんは
いいました。

ピンポーン！
そのとき、げんかんの
チャイムが　なりました。
「おや、だれだろう？」
と、パインさんは
いいました。
それは、ゆうびんやの
トムさんでした。
「やあ、トム。おはよう。」
と、パインさんは
いいました。

「おはようございます、パインさん。
おたくの　ゆうびんうけが　いっぱいで、
もう　手（て）がみが　入（はい）らなくなってましたよ。」
と、トムさんは　いいました。
「あぁ、そうだった。」
と、パインさんは　いいました。
「そういえば
〈とどいた　ゆうびんぶつを　もってくる〉
というのも、メモに　あったっけ。
どうも　ありがとう。」

パインさんは、とどいた
ゆうびんぶつを　見てみました。
すると、手がみが　一つう
出てきました。
「おや、これは　うちの
おくさんからだ。どれ、
よんでみよう。」
「なになに？　かえってくるのは
七月二十三日だって？」
パインさんは、
カレンダーを　見ました。

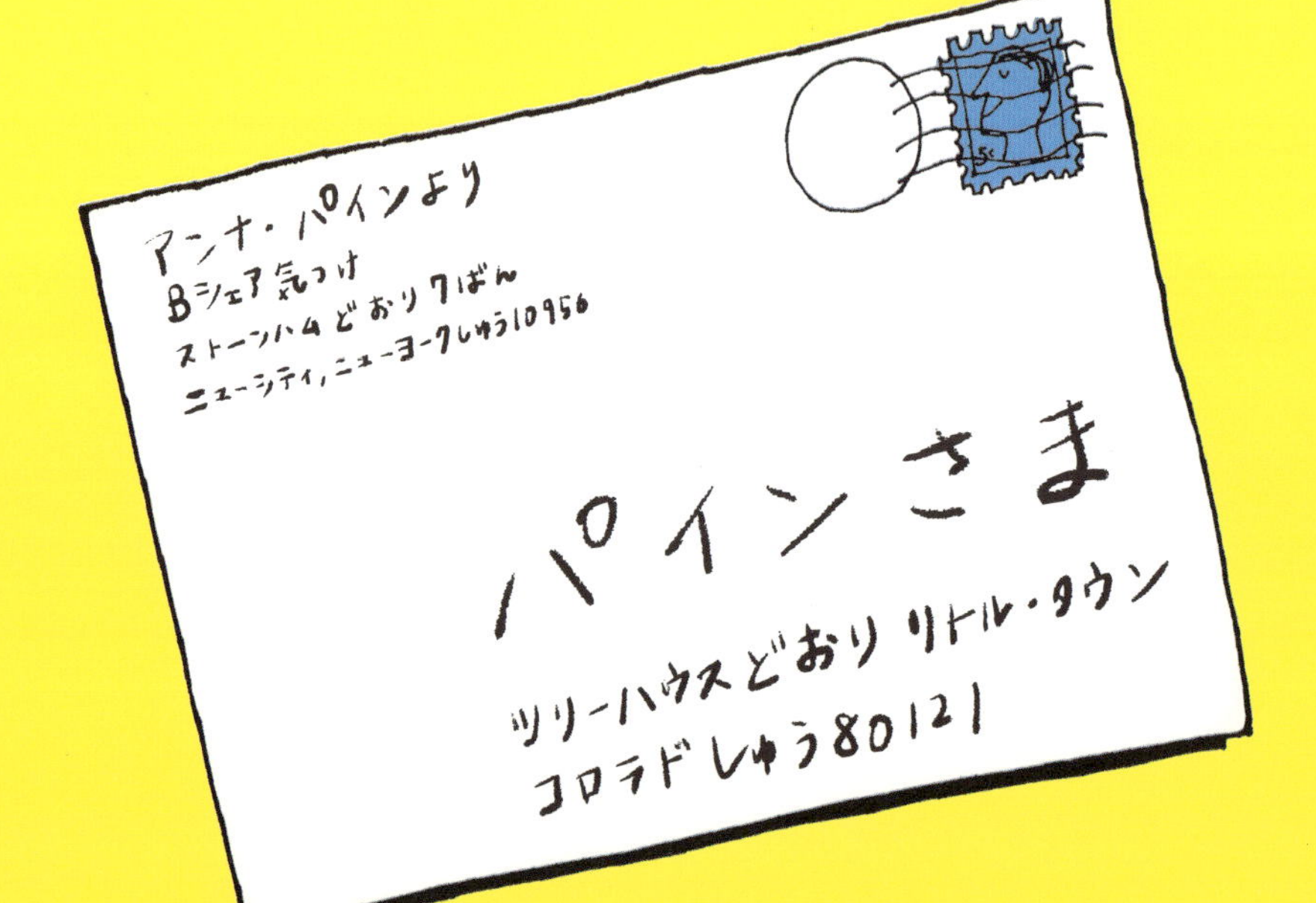

「え!? あしたじゃないか!
こうしちゃいられない。
早く あのメモを
見つけなくっちゃ!」
そのとき また、
ピンポーンと げんかんの
チャイムが
なりました。
「はいはい、だれだね?」
と、パインさんは
いいました。

「ああ、フランクか、おはよう。　いつも　ごくろうさん。」
と、パインさんは　いいました。
「おはようございます、パインさん。
おたくの　ぎゅうにゅうびんの　はこが　いっぱいで、
もう　ぎゅうにゅうが　入(はい)らなくなってましたよ。」
と、フランクさんは　いいました。
「あぁ、そうだった。」
と、パインさんは　いいました。
「そういえば
〈とどいた　ぎゅうにゅうを　もってくる〉
というのも、メモに　あったっけ。　どうも　ありがとう。」

「それから、
ぎゅうにゅうびんの　はこに、
こんな　かみが　入(はい)ってました。」
と、フランクさんが
いいました。
「ああ！　こいつは
なくなってた　メモ！」
「ありがたい！
ほんとうに
どうも　ありがとう！」
パインさんは、
こえを　あげました。

「よし、これで
うちの　おくさんが
かえってくる　まえに、
やるべきことが
ぜんぶ　できるぞ。」
　パインさんは、まず
にわの　ざっそうを
かりました。
　つぎに、ゆかを　はいて、
しょくぶつに
水（みず）を　やりました。

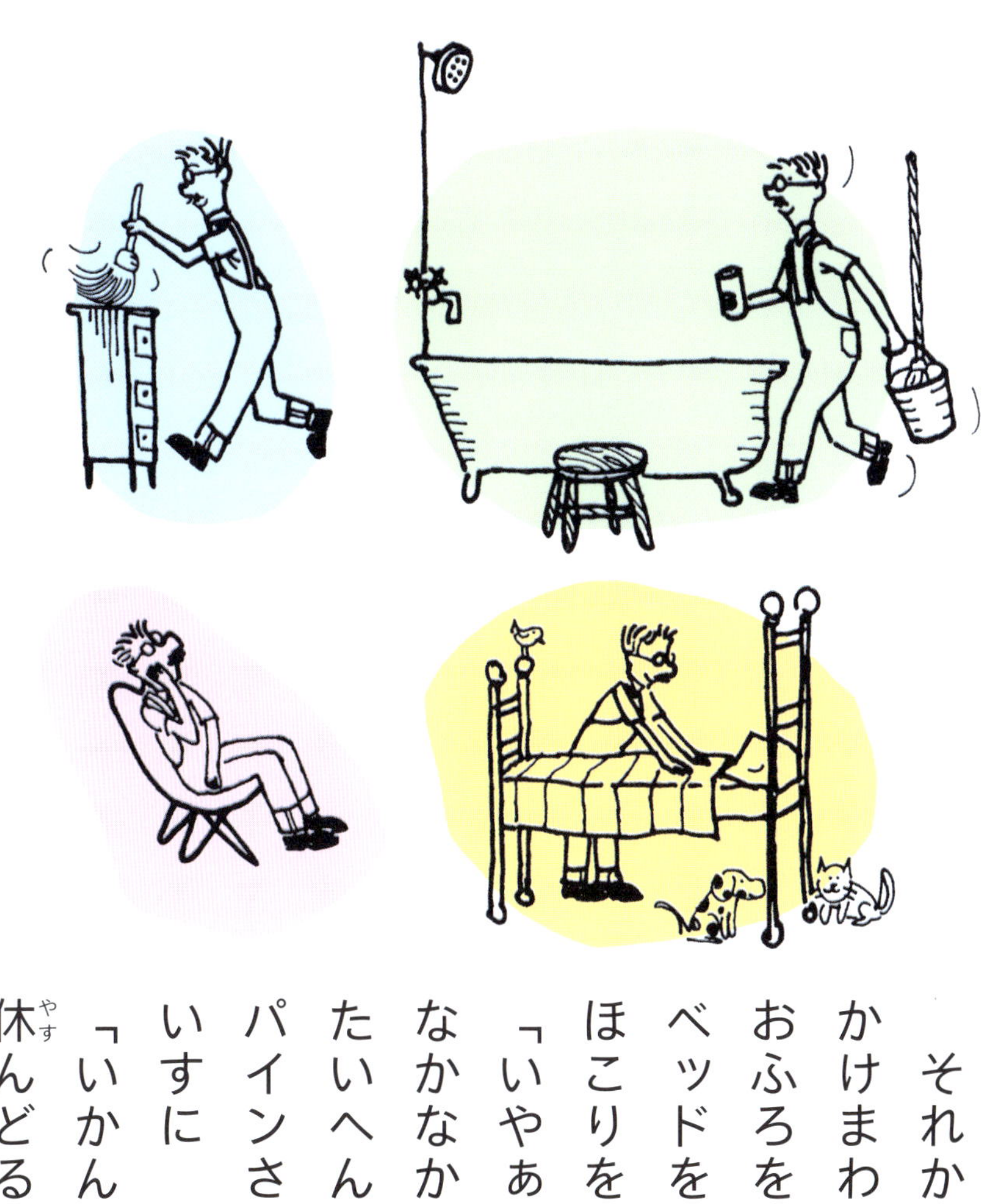

それから、いえの中をかけまわって、
おふろを　あらい、
ベッドを　ととのえ、かぐの
ほこりを　はらいました。
「いやぁ、家事って
なかなか
たいへんだなぁ。」
パインさんは　そう　いって、
いすに　こしかけました。
「いかん　いかん、
休んどるばあいじゃない。」

「つぎは　しょっきを
あらわねば。」
　パインさんは、
だいどころの
ながしに、せんざいを
ザーッと　入れ、
あつい　おゆを
ジャーッと
ながしました。
　すると、せんざいの
あわが　むくむくと
もりあがって、

ゆかに　あふれ、
テーブルや
いすを　おおい、
だいどころ中が
あわだらけに
なってしまいました。
「しまった！
いそいで　モップを
もってこなくっちゃ。」
と、パインさんは
さけびました。

ピンポーン！
そのとき　また、げんかんの
チャイムが　なりました。
「こんなときに　いったい　だれだ！」
と、パインさんは　こえを　あげました。
「かえってくれ！　あとにしてくれ！
いまは　もうれつに　いそがしいんだ！」
ピンポーン！
ピーンポーーン！
それでも　チャイムは　やみません。

パインさんは、
げんかんの
こまどから、
こっそり　そとを
のぞいてみました。
なんと、そこに
いたのは、
アンナさんでした！

「ちょ、ちょ、ちょっと　おまちを！」
と、パインさんは　いいました。
そして、ほうきや　バケツや
ごみばこなどを、クローゼットの中に
むりやり　おしこむと、

それから
いそいで
げんかんへ
もどってきました。

「やあ、おかえり！」と、パインさんは　いいました。

「きょうは、七月二十二日だよ。　二十三日は　あしただ。

かえってくるのが、一日　早いんじゃないかい？」

「そうよ。　あなたを　びっくりさせようと　おもって。」

と、アンナさんは　いいました。

「びっくりさせる？」

「ええ。　きょうが　なんの日だか、おぼえてるでしょ？」

「きょう？　きょうは、七月二十二日だが……」

「きょうは、あなたの　たんじょう日じゃない！

たんじょう日には、あなたと　いっしょに　いたかったの。」

「わしの　たんじょう日！　そうか、すっかり　わすれてた。」

と、パインさんは　いいました。

アンナさんは、
いえに
入りました。

パインさんは、アンナさんの
にもつを　もって、
あとから　ついてきました。
「さて、クローゼットに
コートを　かけましょう。」
と、アンナさんが　いいました。
「ちょっと　まった！
コートは、わしが　あずかろう。
ほら、いすにでも　かけとくよ。」
と、パインさんは　いいました。
「いすに？　どうして？」
「いすが　いやなら、

ベッドに　かけておこう。」
パインさんは　そう　いって、
にっこりしました。
「なんで　ベッドに？」
と、アンナさんは　ききました。
「コートを　かけるのは、
クローゼットに
きまってますよ。」
そして、アンナさんは、
クローゼットの
とびらを　あけました。
すると！

ガラガラ、ガッシャーーーン!!

クローゼットに　おしこんでいたものが、
ぜんぶ　とび出(だ)してきました!

「じつはね、」
パインさんは、みじめな
かおで　いいました。
「きみから　もらった
メモを　ずっと
なくしていて、
つい　さっき、
見つけたばかり
だったんだ……。」
「まあ、そういうこと。」
と、アンナさんは
いいました。

「とんだ　たんじょう日に
なってしまったね。
やっぱり　わしは、
いえの中を
めちゃくちゃに
してしまった。
家事は、ちっとも
かんたんじゃ　なかったよ。」
と、パインさんは　いいました。
「まあまあ、気にしないで。
いっしょに　かたづけましょ。」
と、アンナさんは　いいました。

かたづけが　おわると、
アンナさんは、
パインさんに
プレゼントを
わたしました。
「わしにかい？」
と、パインさんは
ききました。
「ええ、あけてみて。」
はこを　あけると、
中には、バースデーケーキが
入っていました。

それから
アンナさんが
うたってくれました。
「ハッピー　バースデー
トゥー　ユー
ハッピー　バースデー
トゥー　ユー
ハッピー　バースデー
ディア　パインさーん
ハッピー　バースデー
トゥー　ユー！」

「きみが
かえって
きてくれて、
ほんとうに
うれしいよ。」
パインさんは、
にっこりして
いいました。

「わたしもよ。
あなたの　いる
いえに
かえってこられて、
とっても
うれしいわ。」
アンナさんも、
にっこりして
いいました。

（おしまい）

レオナード・ケスラー（1920-2022）

アメリカ、オハイオ州生まれ。画家だった祖母の影響で絵が好きになり、高校に通いながら看板を描く仕事をし、戦後、ペンシルベニア州のカーネギーメロン大学に入学。画家のアンディ・ウォーホルと知り合い、卒業後も親交を深めた。26歳の時に、ソーシャルワーカーであり幼稚園教諭だったエセルと結婚し、1949年にニューヨークへ移住。31歳の時に『What's In a Line?』で絵本作家としてデビューすると、以後、200冊以上の作品を発表。内、妻との共作が40冊以上ある。主な邦訳作品に『うさぎがいっぱい』（大日本図書）などがある。

小宮（こみや） 由（ゆう）（1974-）

東京生まれ。2004年より東京・阿佐ヶ谷で家庭文庫「このあの文庫」主宰。主な訳書に「パインさん」「おはなし3にんぐみ」「ぼくはめいたんてい」「こころのほんばこ」「こころのかいだん」シリーズ（大日本図書）、『さかさ町』『けんかのたね』（岩波書店）、『パイパーさんのバス』（徳間書店）、「おばけのジョージー」「ねこのオーランドー」シリーズ（好学社）など多数。祖父は、トルストイ文学の翻訳家であり良心的兵役拒否者である、故 北御門二郎。

パインさんのおるすばん

作　レオナード・ケスラー

訳　小宮 由

2024年9月20日　第1刷発行

発行者：中村 潤

発行所：大日本図書株式会社

〒112-0012 東京都文京区大塚 3-11-6
URL：https://www.dainippon-tosho.co.jp/
電話：03-5940-8678（編集）　03-5940-8679（販売）
048-421-7812（受注センター）
振替：00190-2-219

デザイン：ITF/NOTE BASE　石川智子

印刷：株式会社精興社

製本：株式会社若林製本工場

ISBN978-4-477-03515-4　C8397　52P　21.0㎝×14.8㎝　NDC933